1

Le B.a.-ba de la diététique pour l'hémochromatose

MENARD Cédric
DIETETICIEN-NUTRITIONNISTE
Diplômes d'Etat français

Merci infiniment d'avoir acheté cet ouvrage

Edition : BoD - Books on Demand
12/14 rond-point des Champs Elysées, 75008 Paris
Imprimé par Books on Demand GmbH, Norderstedt, Allemagne
ISBN : 9782322203154
Dépôt légal : janvier 2020

Bonjour et merci infiniment de votre confiance.

Je m'appelle MENARD Cédric, et je suis diététicien-nutritionniste diplômé d'Etat. J'ai effectué une partie de mes études de diététique au sein de l'hôpital psychiatrique de Picauville, ainsi qu'aux services de néphrologie et de gastro-entérologie au C.H.U de Rennes. Une fois diplômé, je me suis installé comme diététicien-nutritionniste en profession libérale en 2008. J'ai profité de mes premiers mois d'installation pour me spécialiser en micronutrition, et fus diplômé du Collège Européen Nutrition Traitement Obésité (CENTO) en 2009.

Attention : cet ouvrage fut élaboré pour vous apporter une réponse diététique adaptée à chacune et à chacun d'entre vous, en cas d'hémochromatose et uniquement en cas d'hémochromatose. Cet ouvrage n'est pas adapté à de quelconques intolérances ou allergies alimentaires : il vous appartiendra donc d'être vigilant(e) dans l'application des conseils diététiques de proposés, et d'y faire, le cas échéant, une sélection alimentaire appropriée, notamment, par exemple, en cas d'intolérance au lactose.

Mes autres ouvrages traitants de la diététique fondamentale à mettre en pratique lors d'une hémochromatose :

« Quelle alimentation pour l'hémochromatose ? »
« Recettes et menus pour l'hémochromatose »
« Dictionnaire alimentaire de l'hémochromatose»
« Menus de printemps pour l'hémochromatose »
« Menus d'été pour l'hémochromatose »
« Menus d'automne pour l'hémochromatose »
« Menus d'hiver pour l'hémochromatose »

Mon site Internet : **www.cedricmenarddieteticien.com**
Mon numéro de certification professionnelle **ADELI**, enregistré auprès de la DDASS : 509500435.

Sommaire

L'hémochromatose

L'hémochromatose est une maladie génétique héréditaire qui se caractérise par **une surcharge en fer** de l'organisme, du fait de l'intestin qui absorbe le fer d'origine alimentaire de façon excessive. Il existe en fait plusieurs formes d'hémochromatose, les unes étant plus graves que les autres. Environ une personne sur trois cent souffre de cette pathologie en France, mais beaucoup ignorent leur hémochromatose.

Dans les conditions normales (hors hémochromatose), le **surplus** de fer d'origine alimentaire est évacué dans les selles. Mais dans le cas de l'hémochromatose, le fer est absorbé de façon excessive, puis il est emmagasiné dans les organes et les tissus, alors même que les besoins de l'organisme en fer sont comblés. Le fer sanguin, en excès, va s'accumuler dans le foie, le cœur et le pancréas, les os, la rate, les muscles... entraînant à terme, une cirrhose du foie, un diabète dit « bronzé », mais également une insuffisance cardiaque.

La diététique joue un rôle **non négligeable**, car elle permet, en diminuant les apports alimentaires en fer, d'espacer **les saignées** (ou phlébotomies) qui représentent, à l'heure ou ces lignes sont écrites, le traitement le plus fréquemment appliqué et surtout le plus radical, afin de diminuer la teneur sanguine en fer. Des chélateurs de fer sont également utilisés, mais ils ne sont pas utilisés en premiers recours (à cause d'effets secondaires possibles).

NB : dans cet ouvrage, « **mg** » signifie milligramme = 0,001 **gramme**, et « **µg** » signifie microgramme = 0,001 **mg** = 0,000001 **gramme**.

Le fer

Le fer est un constituant indispensable des globules rouges. Le fer est responsable, en leur sein, du transport de l'oxygène des poumons aux organes. Il se charge ensuite de les débarrasser de leur CO_2, qu'il transporte des poumons vers son élimination de l'organisme par l'expiration.

Les besoins quotidiens en fer dans des conditions **normales**, sont pour les femmes adultes de l'ordre de **20mg/jour**. En période de grossesse, ils sont majorés à **28mg/jour**. Pour les hommes adultes, ils sont de **10mg/jour**.

Le fer est un sel minéral que l'on trouve aussi bien dans nos aliments de sources animales, que dans ceux de sources végétales. En effet, il existe deux formes de fer alimentaire :

- Le **fer « héminique » uniquement d'origine animale**, qui est apporté par les viandes, les poissons, les œufs, les produits laitiers, ainsi que par les charcuteries, les crustacés, les mollusques, les plats alimentaires à base de viande(s) et/ou de poisson(s) et/ou d'œufs tels des quiches, les pains de poisson, les cordons bleus au jambon, le poisson pané, la levure de bière... Ce fer **d'origine strictement animale** est **très bien absorbé** par le métabolisme, en effet, l'intestin l'absorbe **pour environ 80% de ses apports alimentaires**.

- Le fer « **non héminique** » **uniquement d'origine végétale**, qui est apporté par les légumes verts, les céréales complètes, les fruits, le cacao... Ce fer **d'origine strictement végétale** est **mal absorbé** par le métabolisme, en effet, l'intestin l'absorbe **pour environ 15% de ses apports alimentaires**.

Grâce à ces informations nutritionnelles, il n'est pas difficile de comprendre que les aliments d'origine animale, seront de loin les **plus importants apports alimentaires en fer**, et donc, ceux qui seront les plus importants à contrôler dans votre alimentation quotidienne. Alors que les végétaux, même si certains d'entre eux apportent du fer, et même pour certains d'entre eux dans de bonnes quantités, seront toujours **moins à risque** au cours du traitement diététique de votre hémochromatose.

Le fer d'origine alimentaire est absorbé au niveau de l'intestin grêle. **Hors hémochromatose**, cette absorption du fer est régulée en fonction des besoins de l'organisme. **Dans le cas d'une hémochromatose**, cette régulation n'est plus possible : il y a alors surcharge sanguine en fer, suivi des complications que l'on connaît.

Attention : une surcharge en fer ne signifie pas systématiquement une hémochromatose. Un surpoids peut favoriser une surcharge en fer, et une perte de poids de qualité règle très rapidement les symptômes (**uniquement hors hémochromatose**).

A savoir : la vitamine C **favorise fortement** l'absorption intestinale du fer alimentaire (le **zinc** et **l'alcool également**). Le calcium, le son de blé, la rhubarbe, l'oseille, les céleris (branche, rave), le cacao, le thé, le café, le calcium au contraire, **limitent** son absorption intestinale.

La vitamine C

La vitamine C est une vitamine hydrosoluble, aussi appelée acide L-ascorbique, elle est sensible à la chaleur (et donc **à la cuisson**), à l'oxygène et à la lumière. Elle joue des rôles multiples au sein du métabolisme, tout aussi essentiels les uns que les autres : elle stimule le système immunitaire, intervient dans la synthèse des globules rouges et du collagène, joue un rôle antioxydant... mais elle intervient également dans l'absorption du fer qu'elle **favorise**, et c'est cette faculté de la vitamine C qui ne nous convient pas dans le cadre d'une hémochromatose.

L'organisme humain ne sait pas stocker, ni synthétiser la vitamine C. Cette vitamine doit donc être systématiquement apportée par notre alimentation quotidiennement, à hauteur d'environ 60 à 80mg par jour.

Dans le cadre d'une hémochromatose, il n'est pas question de se priver des aliments sources de vitamine C, que sont surtout les fruits et les légumes verts. **Il s'agira simplement de ne pas consommer les plus riches d'entre eux à certains repas, et de ne pas surconsommer les autres**.

Donc, le traitement diététique de votre hémochromatose passera par un contrôle strict de vos apports alimentaires en fer, mais également par ceux en vitamine C.

Il est très important de savoir cependant que la vitamine C joue son rôle au regard du fer alimentaire, <u>**que dès lors que ces deux nutriments sont absorbés en même temps**</u>.

☝ A savoir : les apports alimentaires en **calcium** sont intéressants, car le calcium joue **un rôle inverse** de la vitamine C, en **limitant** l'absorption intestinale du fer d'origine alimentaire.

PRESENTATION DES FAMILLES ALIMENTAIRES

Les matières grasses

Les matières grasses regroupent les **matières grasses d'origine animale**, qui sont sources d'acides gras saturés, **de cholestérol** et pour certaines de vitamine D, et les **matières grasses d'origine végétale**, qui sont sources d'acides gras insaturés (oméga 3, 6 et 9), de vitamines A, K et E. Cependant, **les huiles de palme et de coprah**, (que l'on retrouve désormais pratiquement partout), apportent des acides gras « saturés » qui sont réputés pour être très athérogènes (**qui bouchent les artères**), d'où leur très mauvaise réputation nutritionnelle **bien méritée**. Parmi les matières grasses animales, nous pouvons citer : le beurre (doux et demi-sel) à 82% de matières grasses ou allégé, le saindoux, la graisse de canard, la graisse d'oie, mais également la fameuse huile de foie de morue... et parmi les matières grasses végétales, nous citerons : les huiles végétales, les pains de végétaline et les margarines végétales (certaines sont salées, d'autres non). Il existe des « matières grasses composées » qui sont constituées d'un mélange de graisses animales et de graisses végétales. **La crème fraîche sera étudiée au sein des produits laitiers**. Les matières grasses végétales notamment, sont très importantes pour l'équilibre nutritionnel (sauf les huiles de palme et de coprah). Cependant, elles doivent être consommées en **quantités modérées. Environ 12g de beurre sont conseillés quotidiennement** (un micropain), mais vous pouvez également consommer de la margarine végétale de qualité (St Hubert oméga 3 sans huile de palme par exemple), dans les mêmes quantités si vous le désirez.

Concernant votre régime alimentaire associé au traitement de l'hémochromatose, les matières grasses **n'apportent quasiment pas** de fer, et elles sont **quasiment toutes totalement dépourvues de vitamine C**. Elles ne jouent donc, dans le traitement diététique de l'hémochromatose, qu'un rôle neutre. **Cependant, il ne faut pas non plus négliger leur grande importance nutritionnelle**.

A savoir : le beurre **doux** est le corps gras **le plus riche en fer** (en toute relativité, car les apports sont cependant **très faibles**). L'huile d'olive est également la plus riche en fer parmi toutes les huiles végétales, mais les apports sont également très faibles. Aucune restriction ne sera nécessaire en leur sein.

1.   Le métabolisme a besoin des apports vitaminiques d'un **minimum** de 10g à 20g d'huile végétale par jour (une à deux cuillères à soupe). Cet apport est indispensable pour votre métabolisme.
2.   Le métabolisme a également besoin des apports vitaminiques de 10g à 20g maximum de beurre par jour (une à deux cuillères à soupe rase ou la valeur d'un à deux micropains de beurre vendus dans le commerce, de la taille d'un domino chacun, ils sont également distribués dans les restaurants et les hôtels). Il ne faut pas en priver, si possible, votre organisme car cet apport est également important.
3.   Le beurre d'été ainsi que la crème fraîche d'été (qui sera étudiée au sein des produits laitiers), sont **plus riches** en vitamines, que le beurre et la crème fraîche d'hiver. Il n'y a cependant aucune différence pour leurs teneurs en fer (qui sont, je l'ai déjà précisé, très faibles).
4.   Les matières grasses **ne font pas grossir** si celles-ci sont consommées dans des quantités raisonnables, et si celles-ci sont bien réparties au cours des trois repas principaux de la journée.
5.   Le beurre doux est « plus riche » (en toute relativité) en fer que le beurre demi-sel.

6. Privilégiez autant que possible la consommation de beurre plutôt que celle de margarine végétale. Si excès de cholestérol sanguin, privilégiez « St Hubert oméga 3 sans huile de palme ».

7. Consommer des beurres allégés ou des margarines végétales allégées en matières grasses, ne posera pas de problème particulier.

8. Ne tenez pas compte de la teneur en fer des corps gras, en effet ceux-ci sont **très faibles**, voire nulle chez certaines huiles végétales.

9. Je vous conseille l'huile d'olive extra vierge (notamment pour la cuisson) et l'huile de noix pour l'assaisonnement.

10. Il est cependant conseillé **d'alterner** la consommation des huiles végétales.

11. Je vous **déconseille** de consommer plus de deux cuillères à soupe de matières grasses au total au cours de vos déjeuners, idem au cours de vos dîners. Evitez de les consommer cuites (sauf avec les légumes verts si vous désirez cuisiner ces derniers).

12. Les matières grasses composées sont des composés gras qui ne peuvent être ni dénommés comme beurre, ni comme margarine végétale. Elles peuvent être issues d'un mélange de matières grasses laitières avec des matières grasses végétales.

13. Attention à ne pas consommer, si possible, le gras de vos viandes, le saindoux, la graisse d'oie... Ce sont en effet des matières grasses d'origine **animale** riches en acides gras saturés et en cholestérol, qui sont très néfastes pour votre santé générale.

14. **Ne jamais composer de vinaigrette à base de jus de citron**.

N'oubliez pas : les corps gras ne vous poseront aucun problème par rapport à votre hémochromatose. Ne les négligez pas, car ils jouent un rôle essentiel dans votre équilibre alimentaire.

Recettes de vinaigrettes

Vinaigrette allégée : une part d'huile végétale, un quart de part de vinaigre, arôme saveur (du genre Viandox), et la moitié du volume total en eau, sel, poivre.

Vinaigrette sauce yaourt : un yaourt nature, fines herbes au choix, une cuillère à café de vinaigre, une cuillère à café de graines de sésame **pilées**, sel et poivre. (Au mieux il s'agira d'un yaourt « Calin + » de Yoplait, qui est très riche en calcium).

Vinaigrette sauce fromage blanc : fromage blanc nature, fines herbes au choix, vinaigre, une cuillère à café de graines de sésame **pilées**, sel et poivre.

Vinaigrette sauce fromage blanc à la moutarde : fromage blanc nature, fines herbes au choix, vinaigre, une cuillère à café de moutarde, une cuillère à café de son de blé (sauf si vous souffrez de diarrhée), sel et poivre.

Vinaigrette Milanaise : une part d'huile d'olive extra vierge, une part d'eau, un quart de part de vinaigre balsamique, une demi-part de moutarde, sel et poivre.

Mayonnaise légère : battre un jaune d'œuf avec un petit-suisse, ajoutez une cuillère à café de moutarde, une cuillère à café de graines de sésame **pilées**, sel et poivre.

Les viandes, poissons, œufs...

Les viandes, poissons, œufs et leurs assimilés (charcuteries, mollusques, coquillages, plats confectionnés à base de viande(s), et/ou de poisson(s), et/ou d'œufs tels les quiches, les pains de poisson...) appartiennent au groupe des apports majoritaires en **protéines animales**. Ce groupe alimentaire représente également la source d'aliments la plus importante en **fer**, zinc, vitamine B12... ainsi que des acides gras saturés et du cholestérol. Les abats, eux, sont des apports alimentaires intéressants **également** en vitamine B9. Une bonne part (environ 100g à 120g) par déjeuner et par jour, suffit pour couvrir les besoins du métabolisme jusque 65 ans. Après 65 ans, une part supplémentaire au dîner est importante (**sauf dans le cadre d'une hémochromatose ou celle-ci sera bannie**).

Concernant votre régime alimentaire associé au traitement de l'hémochromatose, des apports alimentaires en viande, poisson, œufs ou de leurs assimilés mal gérés, entretient et même **aggrave très fortement** la surcharge sanguine en fer. Une seule part d'aliment de ce groupe alimentaire d'environ 100 à 120g par jour sera non seulement nécessaire, mais surtout elle sera suffisante pour combler les besoins du métabolisme. Ce groupe alimentaire, est, nous l'avons déjà abordé, la source nutritionnelle **la plus importante en fer (d'origine héminique)**.

👆 **A savoir** : les régimes végétariens stricts, et surtout les régimes végétaliens stricts, **sont à proscrire**. En effet, dans ce type de régimes alimentaires, l'absence de produit alimentaire d'origine animale, ne permet pas de combler les besoins du métabolisme en vitamine B12, qui est une vitamine indispensable pour la maturation des globules rouges.

1. Souvenez-vous que ce groupe alimentaire représenté par les viandes, poissons, œufs et assimilés*, apporte du **fer héminique**, forme d'apport d'un fer alimentaire qui est relativement **très bien assimilé** par le métabolisme.

2. Cuisinez le plus souvent possible vos viandes **au grill** (grill électrique, plancha, cheminée, poêle antiadhésive avec feuille de cuisson...) ou **rôties**. Ainsi, une partie des matières grasses (notamment des acides gras saturés), se retrouvera éliminée pendant la cuisson.

3. Les cuissons en braisé seront plus digestes que les ragoûts. Cependant, les morceaux de viande seront dégraissés au préalable, et de l'huile d'olive extra-vierge sera utilisée dans leur préparation (avec parcimonie).

4. Le fer **ne craint pas** les effets de la température.

5. Beaucoup pensent que consommer de la viande rouge crue ou saignante, leur apportera plus de fer que de consommer cette même viande bien cuite ou à point : c'est faux. Les apports en fer seront les mêmes quelle que soit la cuisson.

6. Le boudin noir est une **excellente** source alimentaire en fer : **ne surtout pas en consommer** !

7. **Les foies de volaille, ainsi que leurs pâtés et autres produits dérivés**, sont **très riches** en fer, et ils sont également **sources** de vitamine C : **n'en consommez surtout pas** !

8. A part le boudin noir ainsi que les foies de volaille et leurs dérivés, les charcuteries et les produits de salaison **ne sont pas** des sources alimentaires importantes en fer, et encore moins en vitamine C.

9. Que les viandes ou les poissons soient surgelés, cela n'a pas d'incidence.

10. Le bloc de foie gras de canard est une source **exceptionnellement élevée** en vitamine C pour un produit de salaison.

11. Les abats (rognon, foie...) représentent des sources alimentaires **relativement riches** en **fer**, en plus d'apporter, pour certains d'entres eux, de la vitamine C : **vous ne les consommerez pas** !

12. Les viandes de veau et de porc sont **moins riches** en fer que les viandes de bœuf et de cheval.

13. Il existe des substituts de viande tel le tofu, le similiviande, les steaks de soja, les steaks hachés avec des protéines végétales : favorisez-les car leur teneur en fer est très réduite.

14. À l'exception du magret de canard, les **volailles** sont plutôt pauvres en fer ainsi qu'en vitamine C. viande de volaille sera donc consommée prioritairement.

15. Les viandes, poissons et les œufs **ne représentent pas** des sources alimentaires intéressantes en vitamine C.

16. Les poissons seront cuits au court bouillon, vapeurs, grillés, cuits au four, au four micro-ondes, en papillote.

17. Les praires, les palourdes et les bigorneaux, sont des sources alimentaires **très importantes en fer : n'en consommez pas** !

18. **Exceptés les praires, palourdes, clams et bigorneaux**, les produits de la mer (poissons, coquillages, mollusques...) **ne représentent pas** des sources alimentaires **très riches** en fer.

19. Exceptés quelques aliments qui en sont faiblement pourvus (huître crue, accra de morue et maquereau), les produits de la mer **n'apportent pas de vitamine C du tout**.

20. Le surimi est parfaitement assimilé au groupe des viandes, poissons et œufs. Cependant, ses qualités nutritionnelles sont **médiocres**, et sa teneur en fer **est nulle**.

21. Dès **que c'est possible**, consommez les arêtes des poissons. En effet, les arêtes des poissons sont **d'excellentes sources alimentaires en calcium**, (les sardines sont parfaitement consommables avec leurs arêtes par exemple). Souvenez-vous de l'intérêt du calcium dans la malabsorption du fer alimentaire.

22. 100g de sardines à l'huile (**consommées avec leurs arêtes**) apportent **autant de calcium** que 100g de Comté !

23. **TRES IMPORTANT** : **ne jamais** citronner vos poissons, et même vos viandes, avant leur consommation. En effet, la vitamine C apportée par le jus de citron, **favorisera** fortement l'absorption du fer apporté par ces viandes ou ces poissons de consommés.

24. En général, les poissons gras (maquereau, anchois, hareng, thon, saumon...) sont **plus riches** en fer que les poissons maigres.

25. Les œufs **ne sont pas** des aliments riches en fer.

26. Ne consommez pas vos huîtres crues, mais **cuites**.

Composition nutritionnelle de quelques charcuteries et salaisons

Légende : trois étoiles ★★★ signifient « **apports très élevés** ». Deux étoiles ★★ signifient « **apports élevés** ». Une étoile ★ signifie « **apports faibles** ». L'étoile vide ☆ signifie « **apport nul** ». « + » signifie le plus riche. « - » signifie le moins riche.

Charcuteries et produits de salaison.	Apports en fer. (Ordonnés du plus riche, vers le plus pauvre apport).	Apports en vitamine C. (Non ordonnés).
Boudin noir.	★★★ +	☆
Pâté de foie de volaille.	★★	★
Pâté de campagne.	★★	★
Bloc de foie gras de canard.	★	★★ +
Mousse de foie.	★	Inconnus.
Pâté de foie de porc.	★	★
Terrine de canard.	★	★
Pâté de lapin.	★	★
Confit de canard.	★	★
Andouillette.	★	★
Merguez.	★	★
Salami.	★	★
Saucisson sec.	★	★
Jambon fumé.	★	☆
Chipolata.	★	Inconnus.
Boudin blanc.	★	★
Jambon blanc.	★	★
Rillettes pur porc.	★	☆
Lardon nature.	★ –	☆

Source : « Table de composition nutritionnelle des aliments CIQUAL » édition 2013. (Résultats **adaptés** afin de vous faciliter la compréhension des données).

Composition nutritionnelle
de quelques viandes, abats et de l'œuf

Légende : trois étoiles ★★★ signifient « **apports très élevés** ». Deux étoiles ★★ signifient « **apports élevés** ». Une étoile ★ signifie « **apports faibles** ». L'étoile vide ☆ signifie « **apport nul** ». « + » signifie le plus riche. « - » signifie le moins riche.

Viandes, abats et œuf.	Apports en fer. (Ordonnés du plus riche, vers le plus pauvre apport).	Apports en vitamine C. (Non ordonnés).
Foie de porc.	★★★ +	★
Rognon d'agneau.	★★★	★
Rognon de bœuf.	★★	☆
Foie d'agneau.	★★	★ +
Rognon de porc.	★★	★
Foie de veau.	★★	★
Rognon de veau.	★★	**Inconnus.**
Magret de canard.	★	★
Bœuf.	★	★
Canard.	★	☆
Cheval.	★	★
Lapin.	★	☆
Œuf entier.	★	☆
Agneau.	★	★
Rôti de veau.	★	☆
Poule.	★	☆
Veau.	★	★
Poulet.	★	★
Porc.	★	★
Dinde.	★ −	☆

Source : « Table de composition nutritionnelle des aliments CIQUAL » édition 2013. (Résultats **adaptés** afin de vous faciliter la compréhension des données).

Composition nutritionnelle de quelques produits de la mer

Légende : trois étoiles ★★★ signifient « **apports très élevés** ». Une étoile ★ signifie « **apports faibles** ». L'étoile vide ☆ signifie « **apport nul** ». « + » signifie le plus riche. « - » signifie le moins riche.

Poissons et produits de la mer.	Apports en fer. (Ordonnés du plus riche, vers le plus pauvre apport).		Apports en vitamine C. (Non ordonnés).	
Palourde.	★★★	+	☆	
Praire.	★★★		☆	
Bigorneau.	★★★		☆	
Moule.	★		☆	
Anchois.	★		☆	
Huître.	★		★	
Bar commun.	★		☆	
Crevette.	★		☆	
Sardine.	★		☆	
Hareng.	★		☆	
Crabe.	★		☆	
Maquereau.	★		★	+
Thon.	★		☆	
Lieu noir.	★		☆	
Poulpe.	★		☆	
Bulot.	★		☆	
Raie.	★		☆	
Poisson pané.	★		☆	
Dorade grise.	★		☆	
Saumon.	★		☆	
Limande.	★	–	☆	

Source : « Table de composition nutritionnelle des aliments CIQUAL » édition 2013. (Résultats **adaptés** afin de vous faciliter la compréhension des données).

Quelques idées de recettes...

Les viandes de consommées seront si possible maigres : veau, bœuf maigre (pas trop souvent de la viande de bœuf), escalope de poulet ou de dinde, cuisse de dinde ou de poulet, jambon blanc maigre, côte de porc, filet mignon...

Les poissons de consommés seront gras et maigres également, en privilégiant la consommation des poissons maigres.

Les œufs sont consommables à la coque, mollets, durs, cocottes, pochés, au plat, en omelette ou brouillés...

Les modes de cuisson à favoriser sont les suivants : grillade, dans une poêle antiadhésive avec ou sans matière grasse, rôti, papillote, à la vapeur, à l'eau, en braisé ou en sauté dans une cocotte (mais en respectant certaines règles nutritionnelles que je vous proposerai ultérieurement).

➤ **Sur le grill** : ne pas huiler la viande, le poisson ou le grill ! Utilisez le grill très chaud, ainsi il n'y aura pas adhérence entre la grille et l'aliment. Ce mode de cuisson est très vivement conseillé car ainsi les graisses de constitution fondent et l'aliment devient alors beaucoup plus digeste !

➤ **Dans une poêle antiadhésive** : si vous n'utilisez pas de matière grasse, utilisez la poêle très chaude. Pour cela vaporisez un peu d'eau dans la poêle, dès que l'eau s'est évaporée, la poêle est assez chaude. En général, cuisinez ensuite votre viande dans la poêle mais à feu moyen afin d'éviter la carbonisation de l'aliment qui est en train de cuire.

➤ **En papillote** : enveloppez dans du papier aluminium des petites pièces de viande ou de poisson en aromatisant : fines herbes, ail, thym, feuilles de laurier sauce, citronnelle, sel, poivre, quelques épices diverses... puis fermez la papillote très hermétiquement. Cuisson au four ou à la vapeur.

➤ *Dans le four* : grill, brochette ou rôti à réserver aux pièces les plus grosses. Afin d'éviter le desséchement des pièces à cuire il est possible d'adjoindre un bol d'eau dans le four pour y maintenir une atmosphère plus humide.

➤ *A la vapeur* : dans le panier de l'autocuiseur, dans le couscoussier ou encore entre deux assiettes au-dessus d'une casserole. Les pièces peuvent être accompagnées de légumes et d'aromates qui vont donner du goût, mais également l'eau qui pourra être enrichie très avantageusement de nombreux aromates : thym, feuilles de laurier sauce, romarin, citronnelle... le liquide bouillant doit toujours se situer au niveau inférieur de la passoire ou du panier contenant les aliments à cuire.

➤ *A l'eau* : commencez par préparer un court bouillon très parfumé : dans de l'eau froide et salée, incorporez des carottes coupées en fines rondelles, ail, oignon en rondelles, deux clous de girofle, poivre en grains, thym, deux feuilles de laurier sauce, romarin, persil, blancs de poireaux... puis laissez cuire à feu moyen pendant 45 minutes dès ébullition. Ensuite, laissez refroidir le court bouillon en le passant au chinois (il ne vous reste donc plus que le bouillon parfumé). Ensuite les pièces à cuire au court bouillon seront incorporées au court bouillon tiède ou froid et la cuisson débutera à feu moyen. Idéal pour la cuisson des poissons maigres, blanquette de veau diététique, etc.

➤ *Dans une cocotte* : soit la cocotte a un revêtement antiadhésif, soit la cocotte est à fond épais. Un peu d'huile végétale peu être utilisée mais avec parcimonie. Faites sauter vos viandes dans la cocotte bien chaude mais pas à feu vif, tout en remuant sans cesse les morceaux de viande à l'aide d'une spatule en bois.

➤ *Au four à micro-ondes* : possibilité de faire des papillotes mais uniquement avec du papier cuisson sulfurisé. Le problème de ce mode cuisson c'est que la cuisson est rapide et que les aliments n'ont pas le temps de s'imprégner du goût des aromates.

> *La cuisson en braisé* : il s'agit d'un mode de cuisson très intéressant pour les viandes de troisième catégorie, c'est-à-dire les viandes nécessitant une longue cuisson... La méthode est très simple à mettre en pratique et en plus, si votre viande est bien parée, le plat obtenu est peu gras. Voici la méthode à mettre en œuvre :

1- Dans une cocotte (au mieux en fonte émaillée) avec couvercle indispensable, bien chaude, faire rissoler les morceaux de viande découpés en quartiers de taille moyenne dans un peu d'huile végétale à feu moyen à vif.

2- Une fois les morceaux de viande bien rissolés, les réserver dans un plat à part.

3- Dans la cocotte, faire revenir ensuite des oignons coupés en dés ou en lamelles ainsi que des carottes préalablement parées, lavées et découpées en rondelles, les faire rissoler ensemble à feu moyen jusqu'à la caramélisation des oignons.

4- Réintégrer les morceaux de viande dans la cocotte avec les oignons caramélisés et les carottes, introduire le bouquet garni, sel, poivre, et mouiller avec de l'eau tiède, ou mieux avec du bouillon de viandes ou de légumes, avec possibilité également de le faire avec pour moitié de vin rouge... Si vous n'avez pas de bouillon de viandes de disponible, introduisez un cube de bouillon déshydraté dans un bol d'eau chaude et faite dissoudre le cube au fouet... (attention dans ce cas à modérer très fortement vos apports en sel, car les cubes de bouillon déshydratés sont **très salés**). Le liquide de mouillement ne doit pas dépasser la hauteur de la viande, au mieux le liquide de mouillement doit atteindre les 2/3 du niveau de la viande.

5- Bien tout mélanger à feu vif en décollant les sucs au fond de la cocotte avec une spatule en bois, si vin rouge ajouté, laisser bouillir à feu vif et à découvert pendant 10 minutes, car ainsi **l'alcool s'évaporera du plat** et il n'en subsistera que les arômes.

6- Laisser cuire à feu doux pendant au moins deux heures, voire trois heures et toujours à couvert. Possibilité de mettre de l'eau dans la rigole du couvercle, ce qui accentuera le cycle d'arrosage de cuisson au sein de la cocotte. A noter que plus la cuisson est longue (proche des 3 heures et plus), et plus la viande sera tendre. De temps en temps, venir contrôler que la viande ne colle pas dans le fond de la cocotte.

7- Possibilité en fin de cuisson de réduire la sauce de braisage obtenue : à feu moyen, couvercle retiré, laisser cuire en remuant sans cesse : l'eau de constitution s'évapore et le liquide de mouillement se concentre ainsi en arômes.

➤ **Les ragoûts** : il s'agit de cuire des viandes ou des poissons dans des roux à base de farine de blé, de fécule de pommes de terre, de Maïzena... Ce plat est riche en graisses cuites et il est peu digeste.

➤ **Le bouquet garni** : faire un bouquet avec des branches de thym frais, une branche de laurier sauce (accompagnée de quelques feuilles), une ou deux branches de romarin, du blanc de poireau et ficeler solidement le tout avec de la ficelle de cuisine.

NB : les techniques culinaires présentées ci-avant ont plus de vertus diététiques pures que de vertus au regard de votre hémochromatose.

Conseils culinaires indispensables

- Parez et **dégraissez** vos viandes autant que possible avant leur intégration à vos plats, et essayez de choisir les viandes les **moins grasses**.
- Privilégiez la viande de veau, de porc et notamment celle de volaille (hors canard).
- Limitez votre consommation de viande de bœuf et de cheval.
- Privilégiez les **poissons maigres** aux poissons gras au cours de l'élaboration de vos recettes.
- **Limitez** l'utilisation des matières grasses.
- Ne pas cuisiner avec de la farine de blé **complet**.
- Le lait de riz est un lait végétal pauvre en fer. Il s'agit d'une bonne alternative aux laits de mammifère.
- Favorisez le **gruyère râpé** (plutôt que l'emmental râpé...)
- **Ne jamais persiller vos plats**.
- **Ne jamais citronner** vos plats en fin de cuisson, notamment vos plats à base de poisson.
- Dès que possible, en fonction de la recette mise en œuvre, essayez d'y intégrer des graines de sésame **pilées** et/ou du son de blé ou d'avoine (notamment si vous souffrez également de constipation). Si vous souffrez de diarrhée ou du côlon irritable, ne pas consommer de son.

Les féculents

NB : tous les conseils diététiques proposés au sein de ce paragraphe concernant les féculents, sont **parfaitement adaptés** et même **vivement conseillés**, en cas **de diabète pancréatique ainsi qu'en cas d'hypercholestérolémie.**

Les féculents représentent les **apports énergétiques d'origine alimentaire par excellence.** Leur absorption intestinale est **lente** (d'où la désignation de « **sucres lents** », qui leur est également attribuée). **Les féculents sont absolument indispensables à chaque petit-déjeuner et déjeuner.** Ils seront cependant consommés ou non, au cours du dîner (cela se fera à votre guise). Les féculents les plus communs sont : la pomme de terre (et sa fécule), le riz (riz blanc, riz complet, vermicelle de riz, semoule de riz...) le quinoa, le tapioca, tous les légumes secs (coco, soisson, lentille, fève, pois cassé, haricot rouge...) tous les produits à base de céréales (blé, avoine, seigle, sarrasin...) tels : le blé précuit (Ebly), les pâtes de froment ou complètes, la semoule de blé, le pain, les crêpes, les galettes, la pâte brisée, la pâte sablée ou feuilletée, le muesli...

Il existe des **féculents complets** (à base de céréales complètes) : riz complet, pâtes de blé complet, pain complet, pain aux céréales, pain multicéréale, pain aux graines, légumes secs, quinoa... et des **féculents blutés** (ou raffinés), c'est-à-dire des **féculents non complets** : riz blanc, pain blanc, pâtes de froment... Je vous conseille très vivement de favoriser la consommation des féculents raffinés, au profit des féculents complets.

Les féculents représentent les fondations même de votre équilibre alimentaire. Ils sont absolument indispensables dans votre alimentation.

Concernant votre régime alimentaire associé au traitement de l'hémochromatose, seuls les féculents **raffinés** seront consommés, car ceux-ci sont presque totalement **dépourvus** de **fer**. En effet, les féculents complets eux, en sont plus ou moins pourvus. Quoi qu'il en soit, qu'ils soient complets ou raffinés, leurs apports alimentaires en vitamine C sont toujours **quasiment nuls à nuls.**

☞ **A savoir** : il est difficile de classifier certains aliments tels les brioches, pains au lait, sablés, viennoiseries... En effet, **il s'agit à la fois de féculents et de produits sucrés** ! Pour faciliter notre collaboration nutritionnelle, nous considèrerons ces aliments comme des produits alimentaires **riches en sucres rapides et en matières grasses.** Ils seront donc à supprimer de votre alimentation.

1. Les féculents **doivent être impérativement consommés** au moins aux petits-déjeuners, aux déjeuners et éventuellement aux goûters. Ils pourront être non consommés aux dîners sans aucun problème (notamment si surpoids à traiter).

2. **Consommez prioritairement des céréales raffinées** : riz blanc, pâtes à base de farine de froment, pain blanc...

3. Contrairement aux idées reçues, les féculents ne font pas grossir s'ils sont consommés dans des quantités adéquates, ainsi que dans une bonne logique de répartition journalière.

4. Consultez la liste complète des féculents sur la page de mon site Internet les concernant : www.cedricmenarddieteticien.com Les plus courants sont : le pain, les pommes de terre, les légumes secs, les pâtes et le riz, la farine de blé, de seigle, le quinoa (interdit)...

5. Les légumes secs sont représentés par les graines des légumineuses (lentille, fève, haricot blanc, soisson, flageolet...) Il est déconseillé d'en consommer plus d'une fois toutes les deux semaines, en effet, leurs teneurs en fer (non héminique) ne sont pas négligeables.

6. De nombreuses études scientifiques ont montré que les céréales complètes limitaient l'absorption intestinale du fer alimentaire. N'en tenez pas compte, **cet effet est négligeable**, de plus, les apports en fer (non négligeables) des céréales complètes permettent de compenser cet effet légèrement délétère, **c'est pourquoi je préfère vous les déconseiller**.

7. Le petit pois **frais n'est pas** un féculent : c'est un légume vert. **Le pois cassé, lui, est** un féculent (purée saint Germain).

8. Le **maïs doux** est un légume vert, alors que la **Maïzena** (farine de maïs) est un féculent.

9. Le quinoa est un féculent complet à ne pas consommer, car celui-ci est **exceptionnellement riche** pour une céréale en **fer**.

10. Tous les plats et les préparations à base de farine de blé, de sarrasin, de maïs (Maïzena), de seigle... : galette, crêpe, semoule de blé ou de riz, sont des plats ou des préparations à base de féculent, et **sont donc à considérer comme des féculents**.

11. Les pâtes devront être consommées **fermes ou al dente**, mais **jamais fondantes**.

12. Quand vous ressentez de la faim entre les repas, c'est peut-être lié à une ou deux choses : soit vous mangez trop vite **et/ou votre consommation de féculent fut insuffisante lors du dernier repas**. Donc, si vous ressentez des sensations de faim entre les repas, pensez automatiquement : « **Ai-je consommé suffisamment de féculent à mon dernier repas ?** »

13. La baguette est **le plus « mauvais »** des pains sur le plan nutritionnel. Je vous la déconseille totalement.

14. Attention aux céréales pour le petit-déjeuner. Elles sont **fréquemment enrichies en fer** !

15. Je ne vous conseille pas les biscottes. En effet, je considère leur qualité nutritionnelle, ainsi que leur index glycémique, inadaptés à un bon équilibre alimentaire.

16. Les biscuits spéciaux pour le petit-déjeuner, du genre « Belvita » sont de bons produits alimentaires. Ils sont relativement pauvres en graisses et en sucres rapides. Ce sont des féculents à part entière. Ils peuvent remplacer le pain du petit-déjeuner sans problème. Attention cependant à éviter les plus riches en céréales complètes.

17. Les barres céréalières vendues dans le commerce, même celles dites « de régime », ne seront pas à consommer si possible.

Composition nutritionnelle de quelques féculents

Légende : trois étoiles ★★★ signifient « **apports très élevés** ». Deux étoiles ★★ signifient « **apports élevés** ». Une étoile ★ signifie « **apports faibles** ». L'étoile vide ☆ signifie « **apport nul** ». « + » signifie le plus riche. « - » signifie le moins riche.

Féculents.	Apports en fer. (Ordonnés du plus riche, vers le plus pauvre apport).	Apports en vitamine C. (Non ordonnés).
Quinoa.	★★★ +	Inconnus.
Pain de mie **multicéréales**.	★★	★
Pain **complet**.	★★	☆
Biscuit sec pour petit-déjeuner.	★	☆
Biscotte **complète**.	★	☆
Haricot rouge.	★	★
Haricot blanc.	★	☆
Farine de blé **T150 (complète)**.	★	★
Pain grillé suédois au **blé complet**.	★	Inconnus.
Lentille.	★	☆
Pain **blanc**.	★	☆
Riz **complet**.	★	☆
Biscotte **classique**.	★	☆
Pâtes **complètes**.	★	☆
Pain grillé suédois **au froment**.	★	Inconnus.
Pâte **classique**.	★	Inconnus.
Riz **blanc**.	★	☆
Pomme de terre.	★ −	★

Source : «Table de composition nutritionnelle des aliments CIQUAL» 2013. La source pour le quinoa est «Koziol» 1992. (Résultats **adaptés,** afin de vous faciliter la compréhension des données).

➤ **Les pâtes** : les pâtes seront idéalement consommées al dente. Evitez cependant les pâtes de cuisson rapide qui n'ont pas le même intérêt nutritionnel que celles de cuisson standard (8-10 minutes).

➤ **La sauce béchamel** : la recette traditionnelle est la suivante : dans une casserole, faire un roux blanc avec de l'huile d'olive extra vierge et de la farine de blé, pour 20g d'huile on additionne 20g de farine de blé, puis une fois dextriné, on lie l'ensemble au fouet en remuant doucement, hors du feu, avec du lait chaud salé, poivré et additionné de noix de muscade râpée, puis on réchauffe l'ensemble sur feu doux tout en remuant sans cesse jusqu'à épaississement. La recette traditionnelle est source de graisses cuites. Cependant il existe une parade qui consiste à éliminer les matières grasses de la recette, nous obtenons alors une béchamel diététique.

➤ **La sauce béchamel diététique** : on lie au fouet la farine de blé à hauteur de 3 à 8% de la quantité de lait chaud salé, poivré et additionné de noix de muscade râpée, par exemple pour une quantité de lait de 100ml, on utilise de 3 à 8g de farine de blé. Il s'agit d'une liaison type bouillie. Puis une fois la liaison homogène, on réchauffe à feu doux pendant 5 à 10 minutes jusqu'à épaississement : la béchamel diététique est prête.

➤ **La sauce béchamel anti-fer** : on ajoute du gruyère râpé et des graines de sésame pilées à la sauce béchamel standard ou diététique. On peut également confectionner la sauce béchamel avec du lait de riz nature.

➤ **Les légumes secs** : les légumes secs doivent être impérativement mis à tremper au moins 12 heures dans une grande quantité d'eau froide avant leur cuisson. Puis leur cuisson s'effectuera dans un court bouillon très parfumé et préparé à l'avance (la veille), de plus, la cuisson s'effectuera toujours au départ court bouillon froid, à cuisson lente et à couvert. **Ne pas en consommer plus d'une fois toutes les deux semaines, car ils sont sources de fer.**

Conseils culinaires indispensables

- Privilégiez l'utilisation des pâtes **non complètes**, de la semoule de blé **non complet** et du riz « **blanc** ».
- **Ne pas cuisiner** avec de la **farine de blé complet**.
- **Limitez** l'utilisation des matières grasses.
- Le lait de riz est un lait végétal pauvre en fer. Il s'agit d'une bonne alternative aux laits de mammifère. Le lait de soja nature et celui de châtaigne nature sont également intéressants.
- Favorisez le **gruyère râpé** (plutôt que l'emmental râpé...)
- **Ne jamais persiller vos plats**.
- Dès que possible, en fonction de la recette mise en œuvre, essayez d'y intégrer des graines de sésame **pilées** et/ou du son de blé ou d'avoine (notamment si vous souffrez également de constipation). Si vous souffrez de diarrhée ou du côlon irritable, ne pas consommer de son.
- Utilisez toujours **un édulcorant** à la place du sucre. Souvenez-vous que 10g d'édulcorant « sucre » autant que 100g de sucre ! (Point strictement diététique qui n'a aucune incidence sur votre hémochromatose).

Les légumes verts

NB : tous les conseils diététiques proposés au sein de ce paragraphe concernant les légumes verts, sont **parfaitement adaptés** et même **vivement conseillés**, en cas **de diabète pancréatique ainsi qu'en cas d'hypercholestérolémie**.

Les légumes verts sont tous quasiment dépourvus d'énergie. Ils sont indispensables dans votre alimentation quotidienne. Ils sont réputés pour être anticancéreux, notamment s'ils sont issus de l'agriculture biologique. Les légumes verts représentent des apports fondamentaux en fibres alimentaires végétales, qui favorisent fortement le transit intestinal, et qui séquestrent une partie du cholestérol alimentaire. Ils apportent également des vitamines (vitamines du groupe B, vitamines K, **vitamine C** et E...) et des sels minéraux (**dont du fer non héminique pour bon nombre d'entre eux**), qui sont indispensables pour le bon fonctionnement quotidien du métabolisme. Les légumes verts doivent être consommés à chaque repas, cependant, c'est au dîner que leur rôle prédomine. Au mieux, les légumes verts seront consommés également à chaque déjeuner (et même pourquoi pas au cours de chaque petit-déjeuner sous forme de potage par exemple). Cependant, leur consommation au cours du déjeuner **ne doit pas éclipser celle des féculents**, qui, pour ces derniers, sont absolument indispensables lors de chaque déjeuner.

Concernant votre régime alimentaire associé au traitement de l'hémochromatose, leur rôle dans votre alimentation sera plus ou moins soumis à contrôle. Le fer qu'ils apportent est uniquement « non héminique ». Certains d'entre eux ne seront pas consommés à cause de leurs teneurs élevées en fer, combinées à des apports en vitamine C élevés. La grande majorité des légumes verts sera cependant consommable sans aucun souci.

☝ **A savoir** : les légumes verts les plus à risque, au regard de votre hémochromatose sont le **persil, les bettes, les épinards** et le **cresson**, à cause de leurs teneurs en **fer** relativement **élevées associées** à des apports **élevés** également en **vitamine C : ils ne seront pas consommés**. Les autres légumes verts ne poseront pas de problème particulier, on évitera simplement de **trop** consommer les plus riches d'entre eux en vitamine C, notamment au cours du déjeuner.

1. Les légumes verts peuvent être consommés crus ou cuits. La consommation crue est tout de même importante, **pour environ le tiers des apports journaliers totaux** en légumes verts. En effet, la cuisson détruit une bonne partie des vitamines (notamment la vitamine C). La cuisson à la vapeur reste cependant la plus intéressante.
2. Les légumes verts apportent des fibres alimentaires végétales en grandes quantités, qui sont indispensables pour le fonctionnement optimal du transit intestinal.
3. Il est très vivement conseillé de peler, de râper... les légumes verts en vue de leur consommation crue, le plus proche possible de leur consommation, car bon nombre de vitamines sont détruites par leur contact avec l'oxygène.
4. **Ne jamais laisser tremper** les légumes verts dans l'eau, mais passez-les plutôt rapidement sous le jet du robinet. En effet, le trempage entraîne **une perte très importante** de vitamines et de sels minéraux, qui migrent vers l'eau de trempage par phénomène d'osmose. De ce fait, dès lors que cette eau de trempage n'est pas consommée, les vitamines et les sels minéraux se retrouvent alors perdus ! Ce qui est un comble !
5. La liste des légumes verts est à consulter sur mon site Internet www.cedricmenarddieteticien.com à la page « liste des légumes verts ».
6. La pomme de terre **n'est pas** un légume vert : c'est un féculent.
7. Le petit pois **frais n'est pas** un féculent, c'est un légume vert. Le **pois cassé**, lui, est un féculent (purée saint Germain).

8. Le maïs doux est un légume vert. La Maïzena (farine de maïs) est un féculent.

9. Les légumes verts peuvent être consommés sous forme de potage sans aucun problème.

10. Savez-vous que 100g de chou vert apportent plus de vitamine C que 100g d'orange ? Attention donc à ne pas trop consommer de choux ! Cependant, les légumes verts sont des sources alimentaires **très hétérogènes** en vitamine C.

11. A cause de la richesse de certains légumes verts en vitamine C (tels les choux), leur association avec des viandes, ou des poissons, est très négative dans le cadre de votre hémochromatose, car souvenez-vous du rôle de la vitamine C dans l'absorption intestinale du fer alimentaire...

12. La cuisson **détruit la moitié environ, des apports en vitamine C** des légumes verts.

13. Les légumes verts peuvent être frais (c'est le top), surgelés (dans ce cas, il existe un grand nombre de choix de légumes verts surgelés nature dans les supermarchés, qui sont parfaitement adaptés à votre travail diététique en cours).

14. Les pousses de bambou, les cœurs de palmier... seront assimilés aux légumes verts.

15. Dès que possible, je vous conseille de consommer les légumes verts **avec leur peau**, car les vitamines, les sels minéraux et une bonne partie des fibres alimentaires végétales sont perdus lors du pelage, car la plupart de ces éléments nutritifs se trouvent sous la peau des légumes verts (et des fruits). Une courgette, par exemple, est parfaitement consommable avec sa peau.

16. Attention à ne pas consommer la peau de tous vos légumes verts ! Bon nombre des pelures peuvent être irritantes pour le tube digestif (telles celles du concombre, céleri-rave, carotte...)

17. Les légumes verts issus de l'agriculture biologique, sont en général plus riches en vitamines et en sels minéraux, que les légumes verts non bio.

18. Vous savez sans aucun doute que les épinards sont réputés pour leur teneur en fer (Popeye...), et pourtant, ils ne sont pas si riches en fer que cela ! Leur réputation ferrique vient en fait de leur teneur en vitamine C qui est relativement importante, favorisant alors **fortement l'absorption du fer que les épinards apportent** ! Les épinards, vous l'avez compris, ne seront **pas consommés**.

Composition nutritionnelle de quelques légumes verts

Légende : trois étoiles ★★★ signifient « **apports très importants** ». Deux étoiles ★★ signifient « **apports élevés** ». Une étoile ★ signifie « **apports faibles** ». « + » signifie le plus riche. « - » signifie le moins riche.

Légumes verts.	Apports en fer. (Ordonnés du plus riche, vers le plus pauvre apport).	Apports en vitamine C. (Non ordonnés).
Persil.	★★ +	★★★ +
Epinard.	★★	★★
Bette.	★★	★
Cresson de fontaine.	★★	★★★
Mâche.	★	★
Petit pois.	★	★
Chou brocoli.	★	★★
Salade verte.	★	★
Courgette.	★	★
Poireau.	★	★
Chou rouge.	★	★★★
Poivron.	★	★★★
Haricot vert.	★	★
Salsifis.	★	★
Maïs doux.	★	★
Chou blanc.	★	★★
Céleri branche.	★	★
Carotte.	★	★ −
Concombre.	★	★
Tomate.	★	★
Chou de Bruxelles.	★ −	★★★

Source : « Table de composition nutritionnelle des aliments CIQUAL » 2013. (Résultats **adaptés**, afin de vous faciliter la compréhension des données).

> **Le bouquet garni** : chacun peut élaborer son propre bouquet garni, il s'agit en fait d'associer divers aromates et de les ficeler ensemble. Une idée de bouquet garni : une branche de laurier sauce possédant de 6 à 8 feuilles, deux belles branches de thym, deux belles branches de romarin, un blanc de poireau, le tout ficeler solidement avec de la ficelle de cuisine.

> **Le court bouillon** : il s'agit de l'aromatisation d'eau par divers condiments et légumes verts. Dans un litre d'eau froide, introduire des carottes coupées en rondelles fines, un oignon piqué de 4 clous de girofle, deux gousses d'ail, un bouquet garni, du gros sel et du poivre en grain. Le départ de la cuisson se fait toujours à l'eau froide et la cuisson doit être douce, au bout d'une heure et demi de cuisson le court bouillon est prêt à être passé au chinois. Il est possible de faire réduire le court bouillon sur un feu fort après son passage au chinois afin de concentrer ses arômes (l'eau s'évapore mais les arômes eux restent !) Le court bouillon est en général utilisé départ tiède ou départ froid dans les préparations culinaires, en fait il ne s'agit ni plus ni moins de le préparer à l'avance et de le laisser refroidir.

> **Le potage** : le potage est un excellent plat riche en eau et en légumes verts, donc en vitamines, **fibres** et sels minéraux. Pour épaissir votre potage vous pouvez le laisser réduire à découvert sur le feu ou bien vous pouvez additionner votre potage après mixage de fécule de pommes de terre ou de crème de riz, ou par de farine de blé, en respectant un dosage de 8% environ, c'est-à-dire 8g de fécule de pomme de terre ou de crème de riz par 100ml de potage environ. Dans cette optique, prendre un bol et y introduire une petite quantité de votre potage, puis avec le fouet introduire en pluie la fécule ou la crème de riz en remuant sans cesse jusqu'à l'homogénéisation de l'ensemble sans grumeau. Puis, toujours au fouet, introduire le contenu du bol dans le potage en remuant au fouet, puis réchauffer à nouveau le potage sur feu doux pendant 5 minutes tout en remuant sans cesse au fouet.

Conseils culinaires indispensables

- **Ne jamais** persiller vos plats.
- N'oubliez pas l'intérêt nutritionnel élevé de la rhubarbe, de l'oseille et des céleris (branche, rave et à couper).
- Evitez de peler vos légumes verts **dès que possible**.
- Consommez prioritairement les légumes verts **les plus pauvres en fer**.
- N'oubliez pas que les légumes verts **les plus pauvres en vitamine C** ont également un rôle à jouer dans le soin diététique de votre hémochromatose.
- **Limitez** l'utilisation des matières grasses.
- **Ne pas cuisiner** avec de la **farine de blé complet**.
- Le lait de riz est un lait végétal pauvre en fer. Il s'agit d'une bonne alternative aux laits de mammifère. Le lait de soja nature et celui de châtaigne nature sont également intéressants.
- Favorisez le **gruyère râpé** (plutôt que l'emmental râpé...)
- Dès que possible, en fonction de la recette mise en œuvre, essayez d'y intégrer des graines de sésame **pilées** et/ou du son de blé ou d'avoine (notamment si vous souffrez également de constipation). Si vous souffrez de diarrhée ou du côlon irritable, ne pas consommer de son.

Les produits laitiers

Les produits laitiers sont absolument indispensables pour leurs apports alimentaires **en calcium**, représentant les 2/3 des besoins quotidiens recommandés en calcium, dans une alimentation équilibrée. Le calcium des produits laitiers **d'origine animale** (vache, chèvre, brebis...) possède une excellente assimilation intestinale par l'organisme. Ils sont absolument **indispensables** dans la prévention, mais également dans le traitement diététique de l'**ostéoporose**. Les produits laitiers sont également des sources **importantes** de vitamines du groupe B, de vitamines D et A, ainsi que de protéines de haute valeur biologique. Ils apportent également du **fer héminique** mais dans des quantités **peu à très peu élevées**.

Au moins un produit laitier à chaque repas **est absolument indispensable**. Ce conseil nutritionnel est également valable si vous souffrez de diabète pancréatique (dans ce cas, vous veillerez à ce que les produits laitiers de consommés **ne soient jamais sucrés**), mais également en cas d'hypercholestérolémie. En cas d'intolérance au lactose, évidemment, il vous faudra consommer des laits délactosés, ou bien des laits **végétaux** : laits de riz, de soja, de châtaigne... ainsi que les produits alimentaires qui en sont issus : yaourt de soja, fromage blanc de soja... mais nous verrons que ces derniers, ne se valent pas tous au niveau de leurs apports alimentaires en fer.

Concernant votre régime alimentaire associé au traitement de l'hémochromatose, les produits laitiers d'origine animale sont **pauvres, voire très pauvres en fer**. De plus, leurs forts apports en calcium permettent de limiter l'absorption du fer alimentaire par l'intestin. Ce qui leur confer, en définitive, **plus de qualités que de défauts** dans le cadre du traitement diététique de l'hémochromatose.

☝ **A savoir** : il est dit tout et son contraire sur les produits laitiers. Certains vantent leurs effets positifs, d'autres ne jurent que par leurs effets néfastes sur notre santé... Personnellement je défends la cause des produits laitiers, et je vous conseille d'en consommer régulièrement (au mieux à chaque repas), en respectant les conseils diététiques proposés à leur sujet. Car une chose au moins est **prouvée** : l'insuffisance de calcium alimentaire (notamment celui d'origine laitière) **favorise très fortement l'ostéoporose**.

1. Des laits **végétaux** (lait d'avoine, de soja, **de riz**, de châtaigne...) peuvent remplacer les laits de mammifère, **si ces derniers sont mal tolérés** (ainsi que les fromages frais de soja, yaourt de soja...) car ces derniers n'apportent pas de lactose (en cas d'intolérance au lactose par exemple).

2. Les laits végétaux **à ne pas consommer** pour leurs apports en **fer** sont le lait de coco (**le plus riche de tous en fer**), le lait de quinoa (**très riche en fer** également), le lait d'amande et le lait de noisette. A savoir également que le lait de coco est le lait végétal le plus gras de tous, et qu'il apporte de mauvais acides gras saturés....

3. Les laits végétaux n'apportent pas de vitamine C.

4. Le lait sera consommé entier, demi-écrémé ou écrémé.

5. Le café au lait ne posera pas de problème, au contraire, étant donné que le café permet de limiter l'absorption intestinale du fer alimentaire.

6. Il existe des laits **d'origine animale** enrichis en fer (tels les laits infantiles) : **ne les consommez pas** !

7. Les laits de vache, de chèvre, de brebis... ont approximativement les mêmes qualités nutritionnelles concernant leurs teneurs en **fer** (qui sont **faibles**).

8. N'écoutez pas les inepties de dites sur les produits laitiers telles : ils sont dangereux car ils favorisent l'arthrose... rien n'est prouvé ! Une chose cependant est certaine : leur absence alimentaire favorise l'ostéoporose !

9. Aucun produit laitier n'est déconseillé ni interdit. (Sauf ceux qui sont enrichis en fer.)

10. Les produits laitiers **à 0% de matière grasse** possèdent approximativement les mêmes teneurs en fer (très faibles), que les mêmes produits laitiers **non allégés**.

11. Si vous consommez du lait au petit-déjeuner, et si vous souhaitez l'aromatiser de chocolat en poudre, cela ne posera aucun problème, mais dans des quantités modérées, car le cacao apporte du fer.

12. Attention, certaines poudres chocolatées pour petit-déjeuner peuvent être enrichies en fer : lisez les étiquettes nutritionnelles.

13. Tous les produits laitiers (d'origine animale ou végétale), sont des sources alimentaires **très médiocres en vitamine C**.

14. La crème fraîche est considérée comme un produit laitier. Elle est **très pauvre** en **fer** ainsi qu'en vitamine C. Elle sera cependant consommée avec modération (car source de cholestérol et d'acides gras saturés).

15. Tous les fromages sont **pauvres voire très pauvres en fer**. Il n'y a pas de choix particulier à faire à leur niveau. Cependant, privilégiez le gruyère râpé plutôt que l'emmental.

16. Si vous n'aimez pas les produits laitiers, consommez des eaux riches en calcium (Hépar, La Talians...), ainsi, vous comblerez vos besoins quotidiens en calcium, tout en contribuant au traitement diététique de votre hémochromatose.

17. Il peut être intéressant, **si vous ne souffrez pas d'excès de cholestérol sanguin**, de consommer, de temps en temps, environ 70g de fromage affiné au choix à la place des 120g environ de viande, ou poisson, ou œufs... de préconisés au déjeuner. En effet, les fromages apportent des protéines de grande qualité, qui sont parfaitement assimilables à celles apportées par le groupe des viandes, poissons, œufs... mais sans en apporter la relativement forte quantité de fer !

☝ **N'oubliez pas** : les produits laitiers sont fondamentaux à chacun de vos repas. Ils vous aident à vous prévenir de l'ostéoporose. Souvenez-vous également de la compétition existante entre le calcium et le fer pour leur absorption intestinale conjointe : le calcium limitera l'absorption intestinale du fer alimentaire, ce qui contribuera donc à limiter votre teneur sanguine en fer. **Donc, consommez des produits laitiers !**

Composition nutritionnelle de quelques produits laitiers

Légende : une étoile ★ signifie « **apports faibles** ». L'étoile vide ☆ signifie « **apport nul** ». « + » signifie le plus riche. « - » signifie le moins riche.

Produits laitiers.	Apports en fer. (Ordonnés du plus riche, vers le plus pauvre apport).	Apports en vitamine C. (Non ordonnés).
Emmental.	★ +	☆
Parmesan.	★	☆
Bleu de Bresse.	★	☆
Petit suisse.	★	Inconnus.
Brie.	★	☆
Comté.	★	Inconnus.
Crottin de chèvre.	★	☆
Port-salut.	★	☆
Camembert.	★	Inconnus.
Livarot.	★	☆
Gruyère.	★	☆
Fromage fondu.	★	☆
Roquefort.	★	☆
Gorgonzola.	★	☆
Beaufort.	★	Inconnus.
Lait de chèvre.	★	Inconnus.
Tomme de Savoie.	★	Inconnus.
Mozzarella.	★	☆
Fromage blanc.	★	☆
Yaourt nature.	★	☆
Lait UHT.	★	☆
Crème fraîche.	★ −	☆

Source : « Table de composition nutritionnelle des aliments CIQUAL » 2013. (Résultats **adaptés**, afin de vous faciliter la compréhension des données).

Conseils culinaires indispensables

- Le lait de riz est un lait végétal pauvre en fer. Il s'agit d'une bonne alternative aux laits de mammifère. Le lait de soja nature et celui de châtaigne nature sont également intéressants.
- Favorisez le **gruyère râpé** (plutôt que l'emmental râpé...)
- **Ne pas consommer** de lait ou de crème de coco ni de lait de quinoa. Attention également aux laits de noisette et d'amande.
- **Ne pas cuisiner** avec de la **farine de blé complet**.
- Intégrez de la **poudre d'amande** dans certains de vos desserts si possible.
- Dès que possible, en fonction de la recette mise en œuvre, essayez d'y intégrer des graines de sésame **pilées** et/ou du son de blé ou d'avoine (notamment si vous souffrez également de constipation). Si vous souffrez de diarrhée ou du côlon irritable, ne pas consommer de son.
- Utilisez toujours **un édulcorant** à la place du sucre. Souvenez-vous que 10g d'édulcorant « sucre » autant que 100g de sucre ! (Point strictement diététique qui n'a aucune incidence sur votre hémochromatose).

Les fruits

Les fruits sont d'importants apports en vitamines, notamment en **vitamine C**. Ils sont également sources de sels minéraux dont du fer pour certains d'entre eux (notamment les fruits secs), et ils sont très riches en fibres alimentaires végétales. Un fruit frais cru ou cuit, des fruits oléagineux, est/sont indispensable(s) à chaque repas. Les fruits peuvent être consommés sous forme de compote, frais, au sirop, en jus... Les confitures de fruits ne seront pas à considérer comme des apports en fruits, mais **comme des apports en produits sucrés**. Si vous souffrez de diabète pancréatique, les fruits seront toujours consommés **en fin de repas**. Ils sont également très intéressants si vous souffrez d'hypercholestérolémie.

Concernant votre régime alimentaire associé au traitement de l'hémochromatose, leurs apports en fer **non héminique** sont relativement **peu importants**, c'est pourquoi, à l'exception des fruits secs, ceux-ci ne seront pas « à craindre » pour leurs apports alimentaires en fer. Cependant, il s'agit ici des **meilleures sources alimentaires en vitamine C** (notamment la goyave et la plupart des agrumes). Les fruits les plus riches en vitamine C seront donc consommés **en dehors du déjeuner**, car la combinaison d'apports entre fer et vitamine C est vivement déconseillée dans votre cadre d'une hémochromatose.

☞ **A savoir : ne jamais** citronner vos poissons (ni vos viandes, salades...) avec du jus de citron. En effet la vitamine C du jus de citron aidera votre métabolisme à mieux absorber le fer provenant des aliments combinés avec celle-ci, ce qui est bien évidement à éviter à tout prix dans votre cas.

1. Les fruits peuvent être consommés crus ou cuits (cuits au four, en papillote, en compote, au four micro-ondes...), sous forme de tarte, dans un yaourt, fromage blanc...

2. Dans la mesure du possible, les fruits seront consommés avec leur peau. En effet, comme pour les légumes verts, la peau des fruits est très riche en fibres. De plus les vitamines et les sels minéraux sont localisés en majorité **juste sous la peau**...

3. Favorisez la consommation des fruits bio. Ainsi vous pourrez les consommer avec leur peau avec beaucoup plus de sécurité sanitaire.

4. Il est vivement conseillé de favoriser la consommation des fruits frais **cru**s (**cru**dités) au profit des fruits **cui**ts (**cui**dités). Cependant, ne vous privez pas non plus de consommer des fruits cuits (compote de fruits, fruit cuit au four...)

5. Si en fin de repas, vous ressentez que votre satiété n'est pas optimale, achevez votre repas avec une banane, elle jouera un excellent rôle de « calage ».

6. **Ne consommez pas** de fruits secs tels des dattes, des abricots secs, des figues séchées... ce sont **les fruits les plus riches en fer**.

7. **Pour info** : la richesse en fibres alimentaires végétales des fruits contribue également à abaisser l'absorption intestinale du cholestérol alimentaire de 10 à 15% !

8. Les compotes remplacent allègrement les fruits, mais attention à les consommer, si possible, « **sans sucre ajouté** » : c'est inscrit sur leur emballage.

9. Les compotes de fruits sont très pauvres en fer, et sont également très pauvres en vitamine C. Vous pouvez les consommer sans aucun problème.

10. Les jus de fruits riches en vitamine C, notamment les jus d'agrumes 100% pur jus pressé, **ne doivent surtout pas** être **consommés pendant les repas comme boissons**, car cela **favorisera** l'absorption intestinale du fer alimentaire.

11. La personne diabétique évitera le raisin ainsi que la banane **trop** mûre.

12. Les fruits oléagineux : noix, noisette, amande, noix de cajou... sont des sources alimentaires **plutôt raisonnables en fer** : ils ne poseront aucun problème à la consommation. De plus, leurs apports en vitamine C sont très faibles.

13. Les jus de fruits sont tous **totalement dépourvus de fer**.

14. Les sirops (citron, fraise, grenadine...) ne possèdent pas de fruit du tout, ils n'apportent que les aromes de ceux-ci.

15. Les fruits au sirop sont **dépourvus** de vitamine C. Ceux-ci ne doivent pas être consommés par les patients diabétiques.

16. Je l'ai déjà mentionné, mais n'oubliez pas que les confitures de fruits, les gelées de fruits, les marmelades... ne sont pas considérées comme des fruits, mais comme des produits sucrés.

17. **Ne confondez pas** les jus de fruits « 100% fruits pressés », (ceux que je vous conseille de consommer **hors déjeuner**), avec « les nectars de fruits », ou les « à base de concentré de jus de fruits », qui sont enrichis en sucre, et que je vous déconseille de consommer.

18. Les fruits les plus problématiques en cas d'hémochromatose, de par leurs teneurs respectives **combinées** en fer **et** en vitamine C (souvenez-vous : fer + vitamine C = absorption intestinale accrue du fer), sont par ordre **décroissant d'importance** : goyave, cassis, fruit de la passion, groseille fraîche, kiwi frais, fraise, litchi frais, citron frais, mangue fraîche (voir le tableau de la page suivante).

19. Consommez un fruit, avant, pendant ou après chaque petit-déjeuner, goûter et dîner sans choix particulier d'imposé. Au déjeuner cependant, vous veillerez à **ne pas consommer** les fruits les plus riches en vitamine C. La personne qui souffre de diabète pancréatique, consommera son fruit **uniquement qu'à la fin de son repas**.

20. Les amandes et la poudre d'amande sont très intéressantes, car elles sont **très riches en calcium et elles sont pauvres en fer**. Ces vertus sont très positives au regard de votre hémochromatose, car le calcium, nous l'avons déjà maintes fois abordé, en forte quantité aidera votre métabolisme à moins absorbé le fer alimentaire.

Composition nutritionnelle de quelques fruits

Légende : trois étoiles ★★★ signifient « **apports très importants** ». Deux étoiles ★★ signifient « **apports élevés** ». Une étoile ★ signifie « **apports faibles**». « + » signifie le plus riche. « - » signifie le moins riche.

Fruits frais et fruits secs.	Apports en fer. (Ordonnés du plus riche, vers le plus pauvre apport).	Apports en vitamine C. (Non ordonnés).
Abricot **sec**.	★ +	★
Figue **séchée**.	★	★
Raisin **sec**.	★	★
Fruit de la passion.	★	★★
Goyave.	★	★★★ +
Cassis frais.	★	★★★
Groseille fraîche.	★	★★
Mangue fraîche.	★	★★
Citron frais.	★	★★★
Raisin frais.	★	★
Abricot frais.	★	★
Litchi frais.	★	★★★
Kiwi frais.	★	★★★
Banane fraîche.	★	★
Fraise fraîche.	★	★★★
Pêche fraîche.	★	★
Ananas frais.	★	★
Pomme fraîche.	★	★ –
Orange fraîche.	★	★★
Poire fraîche.	★	★
Mandarine fraîche.	★ –	★

Source : « Table de composition nutritionnelle des aliments CIQUAL » 2013. (Résultats **adaptés**, afin de vous faciliter la compréhension des données).

Conseils culinaires indispensables

- **Evitez autant que possible** de consommer des **fruits secs**.
- Favorisez les fruits les plus **pauvres** en vitamine C.
- Intégrez de la **poudre d'amande** dans certains de vos desserts si possible.
- **Ne pas cuisiner** avec de la **farine de blé complet**.
- Le lait de riz est un lait végétal pauvre en fer. Il s'agit d'une bonne alternative aux laits de mammifère. Le lait de soja nature et celui de châtaigne nature sont également intéressants.
- Dès que possible, en fonction de la recette mise en œuvre, essayez d'y intégrer des graines de sésame **pilées** et/ou du son de blé ou d'avoine (notamment si vous souffrez également de constipation). Si vous souffrez de diarrhée ou du côlon irritable, ne pas consommer de son.
- Utilisez toujours **un édulcorant** à la place du sucre. Souvenez-vous que 10g d'édulcorant « sucre » autant que 100g de sucre ! (Point strictement diététique qui n'a aucune incidence sur votre hémochromatose).

Les sucres rapides

Les sucres « rapides » et tous les produits alimentaires qui en sont issus : sucre blanc, sucre roux, cassonade, tous les sirops (d'érable, d'agave...), miel, pâtisserie, confiserie, viennoiserie, confiture, gelée, marmelade... sont inutiles à votre équilibre alimentaire, et peuvent vous être totalement interdits, comme en cas de diabète pancréatique par exemple.

Concernant votre régime alimentaire associé au traitement de l'hémochromatose, moins votre alimentation sera sucrée, mieux cela sera. Les produits sucrés sont inutiles en cas d'hémochromatose, bien au contraire, nous l'avons déjà observé, ceux-ci favorisent la prise de poids qui peut favoriser à son tour, un excès de fer sanguin. Le chocolat noir est une source **non négligeable en fer non héminique**, malgré la présence de tanins (qui limitent l'absorption du fer alimentaire), je préfère vous le déconseiller à forte consommation. Les édulcorants (aspartame, sucralose, extrait de Stévia...) ne poseront aucun problème.

☞ **A savoir** : le sucre blanc, le fructose et le sorbitol (sucre alcool) **favorisent** l'absorption intestinale du fer alimentaire.

1. Le **chocolat noir** est plus ou moins **riche en fer**. Le chocolat au lait en tablette, l'est nettement moins. Le chocolat blanc, lui, **ne vaut rien** sur le plan nutritionnel.
2. À l'exception du chocolat noir et du chocolat au lait en tablette (assez loin derrière le chocolat noir pour ce dernier), tous les autres produits sucrés représentent des apports alimentaires **médiocres à nuls** en fer.
3. Le chocolat noir à **40% de cacao**, **est le chocolat le plus riche** de tous pour ses apports alimentaires en fer.

Points divers et variés

1. Les boissons alcoolisées **favorisent** l'absorption du fer alimentaire, donc, moins vous boirez de boisson alcoolisée, mieux cela sera... De plus, l'hémochromatose favorise à terme la cirrhose du foie, donc, il est inutile d'aggraver les risques avec l'alcool ! Cependant, je l'ai déjà précisé, un verre de bon vin rouge par repas **ne posera pas de problème**.

2. L'alcool s'évapore à la cuisson : laissez votre plat mijoter à l'ébullition pendant environ dix minutes à découvert, afin que l'alcool s'évapore et que votre plat n'en conserve uniquement que les saveurs, ainsi, plus de problème pour votre hémochromatose.

3. Ne buvez pas de vodka : ses apports en fer sont relativement élevés, et son degré d'alcool favorise l'absorption intestinale du fer que cette boisson apporte.

4. **Ne buvez pas** des jus d'agrumes 100% pur jus de fruits en mangeant, mais buvez plutôt des eaux riches en calcium, ou du lait (de mammifère ou végétal pauvre en fer) ou encore du thé vert (voire du café mais c'est un peu moins bien).

5. Privilégiez les eaux de boissons **riches en calcium** : eau du robinet (**si eau dure**), La Talians, Hépar ou la Courmayeur.

6. **Ne pas** accompagner vos plats **avec du persil**. En effet, sa richesse en fer et en vitamine C, en fait un ennemi dans le traitement diététique de votre hémochromatose.

7. **Ne pas consommer** du jus de persil et/ou du jus de tomate.

8. Les boissons gazeuses, les boissons aromatisées, les sirops, les sodas, les bières, le cidre, les vins... **sont très pauvres en fer**, (bon nombre d'entre eux, en sont même totalement dépourvus).

9. Le cidre est **une source intéressante en vitamine C**, alors que les bières et les vins en sont **totalement dépourvus**.

10. Les échalotes, les oignons, l'ail... ne posent aucun problème, au regard du traitement diététique de l'hémochromatose.

11. Les épices, le sel, les édulcorants (aspartame, sucralose, extrait de Stévia), ne posent aucun problème vis-à-vis de votre hémochromatose. Cependant un édulcorant pose problème : c'est le fructose.

12. Le sel est totalement dépourvu de fer.

13. **Les graines** de coriandre, les graines de fenouil, le thym, le basilic... sont des sources alimentaires en fer **non négligeables**, cependant, leurs teneurs en vitamine C ne sont pas élevées : **il sera inutile de vous priver** de ces condiments.

14. Les eaux minérales « arôme citron », les yaourts « arôme citron »... ne poseront aucun problème, car ceux-ci n'apportent pas de citron **mais uniquement ses arômes**. Cette remarque est valable pour les eaux minérales arôme « orange ».

15. Ne pas prendre de suppléments de fer, ni de suppléments multivitaminés contenant du fer. Évitez également les suppléments de zinc car certaines études ont démontré qu'en cas d'hémochromatose, le zinc est aussi absorbé dans de plus grandes quantités.

16. Evitez également les suppléments de vitamine C, car de grandes quantités de vitamine C favorisera l'absorption du fer dans votre organisme (point déjà moult fois renseigné).

17. Je pourrais vous conseiller les graines de sésame dans votre alimentation, car celles-ci sont les meilleures sources alimentaires connues à ce jour **en calcium**. Cependant, malgré leur grande qualité nutritionnelle, elles sont également **riches en fer et en zinc** (entre autres...), c'est la raison pour laquelle je ne vous les conseille pas.

18. Le son de blé, à hauteur de deux cuillères à café par jour au **maximum**, limite l'absorption du fer alimentaire. A consommer dans les salades, les yaourts...

19. Je vous invite à éviter les graines de lin. En effet, celles-ci possèdent beaucoup de vertus nutritionnelles, mais elles sont également **trop riches en fer**.

Récapitulons !

- **Les matières grasses** sont indispensables. Elles devront être cependant de bonne qualité. 10g à 12g environ de beurre par jour sont conseillés pour leurs apports alimentaires en vitamines A, E et D. Cependant, vous pouvez également consommer de la margarine végétale : St Hubert oméga 3 est, à mon avis, la plus intéressante d'entre elles. Environ une à deux cuillères à soupe d'huile végétale par déjeuner, et autant par dîner seront nécessaires. Privilégiez, si possible, l'huile d'olive « extra-vierge » pour la cuisson, et l'huile de noix pour l'assaisonnement.

- **Les viandes, poissons, œufs et leurs assimilés**, sont des apports alimentaires **fondamentaux** en protéines de haute valeur biologique et en vitamine B12 notamment... Ils doivent être consommés **à chaque déjeuner uniquement** (le cas échéant, cela se fera au dîner), **mais sans excès** (une part de 120g environ suffira). Une alimentation strictement végétarienne ou végétalienne n'est pas du tout conseillée. Evitez de les cuire dans les matières grasses si possible. Privilégiez les viandes, poissons ou leurs assimilés **les plus pauvres en fer**.

- **Les féculents** doivent être impérativement consommés à chaque petit-déjeuner et déjeuner. Ils peuvent être non consommés au dîner. Vous pouvez en consommer au cours du goûter si vous le désirez. Vous consommerez **exclusivement** (si possible) **des féculents <u>raffinés</u>**. Evitez autant que possible les féculents complets. Les féculents représentent les fondations même de votre équilibre alimentaire.

- **Les légumes verts** sont d'**<u>indispensables</u>** apports en fibres alimentaires, en eau, en sels minéraux (dont du fer pour certains) et en vitamines (notamment de la vitamine C pour certains). Ils doivent être consommés à chaque repas, et notamment au cours du dîner. Vous veillerez à éviter les plus riches en fer. Attention également à éviter les plus riches en vitamine C au déjeuner. Consommez leur peau dès que possible.

- **Les produits laitiers** sont <u>**très importants**</u> pour leurs apports alimentaires élevés en **calcium** hautement biodisponible, mais également en vitamines (notamment celles du groupe B), en protéines animales de grande valeur biologique, et en sels minéraux. Leurs apports alimentaires en **fer** (héminique) sont plutôt faibles. Un apport en produit laitier à chaque repas est très important, non seulement pour vous prévenir de l'ostéoporose, mais également pour vous aider à limiter l'absorption intestinale du fer alimentaire. Les laits enrichis en fer seront bien entendu non consommés. Les laits végétaux ne poseront aucun problème à l'exception de certains d'entre eux, notamment le lait de coco, le lait de quinoa, d'amande et celui de noisette dont les apports en fer sont trop élevés.

- **Tous les fruits** (frais, oléagineux...) sont **importants** pour leurs apports nutritionnels en fibres, en vitamines et en sels minéraux. Un ou des fruits à chaque repas sont **indispensables**. Si possible consommez-les avec leur peau. Seuls les fruits secs, qui sont les fruits les plus riches en fer, **ne seront pas consommés**. Les agrumes qui sont les fruits les plus riches en vitamine C, seront consommés en dehors du déjeuner (car ce repas est la source quotidienne la plus forte en fer héminique : viande, poisson, œufs et assimilés...).

- **Le sucre et les produits sucrés** sont <u>**à éviter au maximum**</u>. Les **édulcorants** sont **parfaitement consommables à la place du sucre** (sauf le fructose qu'il conviendra d'éviter), et ne poseront aucun problème. Les viennoiseries, biscuiteries, brioches, gâteaux... **sont à éviter dans votre alimentation**.

- Favorisez la consommation régulière d'eaux minérales <u>**riches en calcium**</u>. N'hésitez pas à boire du café et surtout du thé vert au cours de vos repas. Limitez au maximum votre consommation de boisson alcoolisée. Un verre de vin rouge par repas est toléré.

- Une activité physique régulière **n'est pas du tout incompatible avec l'hémochromatose**.

**Vous souhaitez bénéficier
de mes services diététiques en ligne ?**

- Afin d'approfondir votre prise en charge diététique
associée à un coaching personnalisé.

- Où bien pour me poser des questions
n'ayant malheureusement pas de réponse
au sein de cet ouvrage ?

Rendez vous alors sur mon site Internet

www.cedricmenarddieteticien.com

puis cliquez sur la bannière
présente sur la page d'accueil du site intitulée :

« Bilan diététique, suivi, coaching... »

Prise en charge financière possible par votre mutuelle !
(voir modalités avec votre complémentaire santé)